Photocopiable Workbook

Advanced Level Activities

Written by Stephen Glover

linguascope

Copyright Notice

Written Contents Stephen Glover
Graphic Design Linguascope
Publisher Linguascope

Published by Linguascope, 189 Colchester Road, West Bergholt, CO6 3JY (UK)
Telephone 01206 242473 • Fax: 01206 242262 •
Web site www.linguascope.com

Printed in the UK

ISBN 978-1-84795-113-7

Contents

LE DERNIER METRO

User guide

Contents

Workbook and PowerPoints*

- Reactions to film
- Summary with vocabulary and gapfill exercise
- Context and direct speech
- Character guide adjective practice
- Tensinator multi tense exercise
- The A Factor (including PowerPoints* for teaching passive, subjunctive and present participle)
- Essay writing guide

Objectives of materials

- To revise and build up verb usage with a variety of exercises
- To make the acquisition of vocabulary central to the learning process
- To enable teachers to concentrate on the more creative side of working with the film
- To provide guidance on the art of writing a topic essay on the film
- To give teachers very tangible, substantial pieces of language work to do which will practise a range of skills
- To encourage language learning amongst students using an approach which makes them realize they can achieve
- To provide a solid bank of linguistic and cultural content

Suggested ways of approaching the teaching of a film

Initial steps

- Purchase the film in the French version with French subtitles available on it for the deaf. *
- Purchase the script (*scénario*) for the film if it is available. *
- Watch the film a couple of times including with subtitles and pick out what themes come out of it for you. (Compare with the themes I've identified if you wish).
- Break the film down into logical parts - if you are going to keep stopping the film you are only going to get through 20 minutes or so per lesson, so be realistic.
- Split the summary up to reflect the parts you are dividing it into.

Where there is a context with which the students may not be familiar, you may need to do an introduction.

(* Additional material including PowerPoint presentations, answers and links about the film can be found at www.linguascope.com/films)

Viewing and exploiting the film

Lesson one (assuming hour lessons)
Teach the class how to express initial reactions in an interesting way using the worksheet on reactions if desired. *Ce qui m'a frappé la première fois que j'ai vu le film...* That initial reaction could easily be lost - this is why using 20 minutes of film per lesson will allow you to build up this language.
After showing the 20 minutes or so of film maybe stopping it periodically to ask questions or point out something, you may wish to run quickly through the film summary using maybe the present tense narrative which is frequently the one used for discussing film. Students may be asked to complete the sentences for homework although make sure they are referred to a grammar section/book where they can double check verb forms.

Lesson two
Briefly run through the previously viewed part of the film on x4, pausing just before key events, asking what is going to happen - or just after an event to ask what has happened or just happened. Begin to probe more deeply by asking why, or what aspect of a theme the event demonstrates. By now the students will have the language to do this. On second viewing students could begin noting how particular themes are illustrated.

Lesson three - five
Repeat this process as you work through the film. If knowledge of the present tense seems secure, subsequent use of the summary could move through to perfect/imperfect or practising subordinate clauses using combinations of *après avoir, avant de, en ...... -ant, ce qui, ce que, subjunctive etc.*

Lessons six/seven
By now knowledge of the events of the film should be fairly secure and attention can be turned to building up a picture of the different characters in the film using the character study worksheet which asks students to look at relevant adjectives which might describe particular people.
This is a good opportunity to revise different types of adjectives, agreement and positioning as well as some more sophisticated constructions in which they can be used. There are translation exercises from French to English and English to French on which students can base their own interpretation of the film's characters and motives.

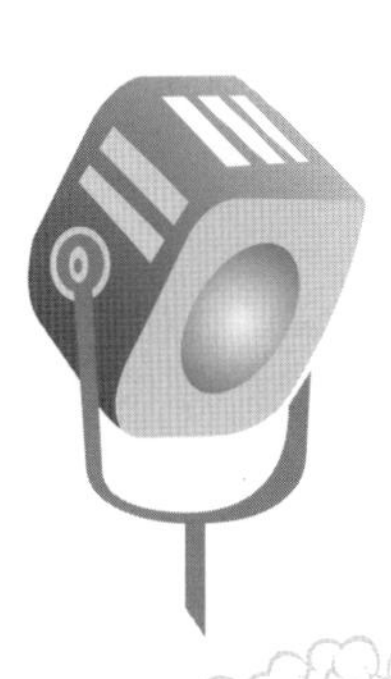

Lesson eight/nine

Using the notes they have made on themes and character students should be given different themes from the film to present. These should ideally be around the key expectations of the examinations for average students although more idiosyncratic and challenging ideas could be presented by the more able. Students could record these initially - you could talk them through the recording saying how their performance matches up to the oral criteria and how to improve (or use French assistant for this).

Lesson ten/eleven

Work through the Tensinator exercise/A factor to ensure that students are aware of how the different tenses relate to each other. You might practise these again with the summary or go back through some key scenes with a particular focus such as saying what you would have done in particular circumstances.

Lesson twelve

An important final activity would be for students to analyse the types of shots and effects being used in the relevant film. Students could choose five of their favourite scenes and discuss the way in which it has been put together by the director.
See links (www.linguascope.com/films) to online materials on techniques.

Lesson thirteen/fourteen

Following on from work on planning a short 200 word essay, more serious work can be introduced on how to plan a slightly longer essay. The essay writing guide is designed to highlight the need for planning carefully. Impress on the students the level of detail required to write a good answer.
All the key points regarding brain storming into a spider diagram, ordering paragraphs and how to put in an introduction and conclusion are addressed.

Themes and Links

Essay titles

- Comment la force de caractère de l'héroïne se révèle-t-elle ?
- Comment la vie de ce théâtre a-t-elle changé depuis le début de la guerre ?
- L'égoïsme des gens - comment se révèle-t-il dans le film ?

Themes

- Comment se déroulent les préparatifs pour une pièce de théâtre
- La vie quotidienne sous l'occupation allemande (marché noir, etc.)
- Les lois anti-israélites (sémites) pendant l'occupation
- Collaborer ou non - la moralité de la décision
- Résister à l'occupant, courage ou folie ?
- L'égoïsme ou le courage
- L'amour partagé (ménage à trois)

Learning to talk about a film

Giving your first impressions is very important. After you have seen a film a few times you tend to forget the original feelings you had. Make notes using these constructions.

Ce qui/ce que constructions

- Ce qui m'a étonné /choqué au début du film, c'était ...
- Ce qui m'a impressionné/amusé alors que le film a progressé, c'est ...
- Ce qui m'a ému dans la scène entre .... et ....

- Ce que j'ai trouvé très amusant/impressionant au début ...
- Ce que j'ai appris en regardant le film c'est que ...
- Ce que j'ai ressenti comme émotion au début/dans la scène ...

Passive constructions

- J'ai été très impressionné(e) par la manière dont ...
- J'ai été ému(e)/touché(e) par la scène vers la fin où ...
- J'ai été très choqué(e)/surpris(e) de voir que le personnage de ...

The summary of events in the film is designed to help you.

Learn the content of the film after/whilst watching it.
Practise your verbs in a range of tenses. Try completing the verbs in brackets...
a) in the present tense.
b) using a combination of the perfect and imperfect tenses.
You need to go on from this knowledge of the basic plot to look at the themes of the film.

Sommaire des évènements

September 1942 - scènes de l'occupation allemande - deux zones - occupée et libre.	Les zones libre et occupée•northern France above the ligne de démarcation was occupied and the southern half was free until November 11th 1942.
Le couvre-feu - les gens ne [devoir] pas rater le dernier métro. Les gens [avoir] faim et froid. Ils [se réfugier] dans les salles de spectacle.	Le couvre-feu • the curfew Rater • to miss Se réfugier • to take refuge
Il s'[agir] d'une pièce au théatre de Montmartre dont le directeur n'[est] plus là.	S'agir • to be about Dont • of which
Un homme, Bernard, [s'approcher] d'une femme (Arlette) et [commencer] à la flatter. Elle [essayer] de le dissuader. Il [s'excuser] et [dire] qu'il ne [faire] pas ça tous les jours. Elle lui [donner] le numéro de l'horloge parlante.	Flatter • to flatter Essayer de • to try L'horloge parlante • the speaking clock
On [voir] un garçon dans la rue. Un soldat allemand lui [frotter] les cheveux amicalement. Sa mère [dire] qu'il [aller] devoir se laver la tête.	Frotter • to rub Amicalement • in a friendly way
Bernard [s'approcher] de la porte d'entrée du théatre et puis [continuer]. Il [trouver] enfin l'entrée.	La porte d'entrée • the entrance
Une fois entré dans le théatre il [évoquer] la disparition du directeur Monsieur Steiner. Ce [être] des Français qui sont venus l'arrêter.	La disparition • the disappearance Evoquer • to bring up
Dans le bureau où il [attendre] Madame Steiner il [voir] la femme refuser d'embaucher un acteur parce qu'il est juif. L'acteur [trouver] que c'[être] une décision hyprocrite.	Embaucher • to take on, employ
Bernard [dire] qu'il ne [vouloir] pas prouver qu'il n'[être] pas juif. Le directeur [essayer] de le persuader et [dire] que le texte de la pièce [être] toujours au comité de censure.	La censure • censorship La pièce • the play
Madame Steiner [dire] que Bernard [avoir] une bonne réputation. On [voir] que Bernard [admirer] Madame Steiner. Il [signer] le contrat où il [declarer] qu'il n'est pas juif.	Constater • to state
Quand tout le monde [sortir] du théatre le directeur (Jean-Loup) [retrouver] Daxiat avec qui il [aller] dîner (ce qui [pouvoir] être utile en cas de censure).	Utile • useful

Jean-Loup [insister] pour que Madame Steiner [serrer] la main à Daxiat ce qui lui [déplaire].	Serrer la main à • to shake hands with Déplaire • to displease
Daxiat [devoir] être puissant parce qu'il [posséder] une voiture. Il [travailler] pour le journal collaborationiste « Je suis Partout ».	Puissant • powerful Posséder • to possess Collaborationiste • pro-German
Le lendemain les acteurs [lire] la nouvelle pièce sur la scène.	Le lendemain • the day after La scène • the stage
Jean-Loup [présenter] Bernard à la décoratrice (Arlette), la femme qu'il [avoir] abordé dans la rue. Elle le [reconnaître].	Aborder • to accost Reconnaître • to recognize
Jean-Loup [dire] qu'il [aller] utiliser les notes de l'ancien directeur pour diriger la pièce.	Diriger • to direct
Bernard [aider] la jeune actrice à remettre son bracelet. Madame Steiner [regarder] alors qu'il [flirter] avec elle.	Remettre • to put back on Flirter • to flirt
Le gardien [entendre] un bruit et [chercher] dans le théatre. Il [trouver] son amie Martine qui [avoir] de la viande du marché noir pour lui.	Un bruit • a noise Le marché noir • the black market La viande • meat
Madame Steiner [calculer] le salaire de Bernard et le gardien lui [proposer] du jambon.	Proposer • to offer
Madame Steiner [regarder] Bernard et la jeune actrice discuter dans la rue avant de s'en aller.	S'en aller • to go off
Raymond le gardien [arriver] avec le jambon caché dans un un étui à violon. Elle [payer] 4200 francs et le [cacher] parmi des vêtements.	Cacher • to hide Un étui • a case Parmi • amongst
Marion (Madame Steiner) retrouve Valentin à la réception de l'hôtel du Pont Neuf habité par beaucoup d'Allemands. Il [avoir] un manuscrit pour elle.	
Un employé de l'hôtel lui [remettre] du courrier adressé à son mari.	Remettre • to give, pass
Quand elle [entrer] dans sa chambre sa bonne lui [parler] d'un photographe qui voulait photographier sa chambre pour une revue.	La bonne • the maid Une revue • a magazine
Le lendemain le petit garçon [cultiver] du tabac dans la rue.	Cultiver • to grow
On [attendre] l'arrivée de Nadine. Bernard [flirter] avec la décorationniste pendant qu'elle [faire] une maquette. Nadine [descendre] d'une voiture allemande.	Pendant que • whilst Une maquette • a model
Nadine [travailler] pour la radio et [faire] du doublage aussi.	Le doublage • the dubbing
Bernard [discuter] avec quelqu'un en face du théatre. Quand il [voir] sortir Marion il [dire] qu'elle [être] belle mais pas « nette ».	Pas nette • odd

Plus tard elle [retourner] au théâtre et [allumer] une lampe.	Allumer • to light
Elle [descendre] dans la cave et [donner] de mauvaises nouvelles à Lucas, son mari, qui s'y [cache]. Elle [essayer] de trouver un passeur fiable pour aider son mari à entrer dans la zone libre.	La cave • the cellar Un passeur • a person who helps refugees cross the "ligne de démarcation" between zones Fiable • reliable
Lucas [doit] attendre encore mais il [comprendre] qu'il [falloir] être patient.	Falloir • to be necessary
Il [falloir] être prudent parce que les autorités [recevoir] 1500 lettres de dénonciation par jour disant qu'un voisin ou un collègue [être] juif.	Prudent • careful Dénonciation • denunciation
Lucas [admirer] les jambes de sa femme pendant qu'ils [monter] les escaliers. Ils [vivre] normalement le soir dans l'appartement.	
Jean-Loup [recevoir] un coup de téléphone très tardivement de Daxiat.	Tardivement • late
Lucas [dire] que tous les anti-sémites français ou allemands sont des fous.	Un anti-sémite • an anti jewish person Fou/folle • mad
Nadine et Bernard [répéter] sur la scène. Ils [s'arrêter] quand ils [voir] arriver Daxiat dans le théatre. Jean-Loup [vouloir] que Marion soit aimable avec lui.	Répéter • to rehearse Aimable • friendly
Nadine [vouloir] faire sa connaissance ce qui [dégoûter] Bernard.	Faire la connaissance de • to meet Dégoûter • to disgust
Daxiat [essayer] de convaincre Marion que les Allemands ne [vouloir] pas que les juifs (israélites) [quitter] la France.	Convaincre • to convince
La habilleuse [montrer] des photos de sa famille à Daxiat pour essayer de prouver que son fils n'est pas juif.	Un habilleur/une habilleuse • theatre dresser
Bernard [refuser] de le saluer. Quand Daxiat [partir] Raymond [raconter] naïvement une blague au sujet du Général de Gaulle.	Saluer • to greet; Une blague • a joke Le général de Gaulle • youngest French general who left France to live in England after the fall of France to lead the free French.
Bernard [discuter] avec son ami au café. On [se demander] au sujet de quoi.	Se demander • to wonder Au sujet de • about
On [voir] Daxiat devant un micro de radio parler du danger que [représenter] les juifs pour la société surtout dans le théâtre. Marion [écouter] ce message très hypocrite.	
La jeune Rosette [arriver] avec des échantillons de tissu. Elle [porter] l'étoile et [expliquer] comment elle la [cacher] pour entrer dans un spectacle.	Un échantillon de tissu • a sample of cloth L'étoile jaune • yellow star the jews were forced to wear during the occupation
Le père de Rosette [devoir] rester à la maison parce qu'il [avoir] un accent fort et [risquer] d'être arrêté.	Fort • strong Arrêter • to arrest

Marion [refuser] une invitation à dîner parce qu'elle [devoir] revenir voir Lucas.	
Marion [montrer] trois liasses d'argent à Lucas dont il [avoir] besoin pour franchir la ligne de démarcation. Il [refuser] un sac de bijoux qui [appartenir] à sa femme.	La ligne de démarcation • the demarcation line between the free and occupied zone Une liasse d'argent • a bundle of money Un bijou • a jewel Appartenir à • to belong to
Elle [dire] qu'elle [aller] le rejoindre après 50 représentations. Elle lui [couper] les cheveux pendant qu'il [essayer] un faux nez de juif. Il [parler] de ce que c'est d'être juif. On [entendre] une chanson émotionnelle.	Rejoindre • to meet up again with Une représentation • a performance Un faux nez • a false nose
Jacquot [cultiver] son jardin de tabac. Jean-Loup le [faire] répéter une phrase.	
Marion [prendre] un pamphlet à une jeune fille dans la rue. Jacquot [répéter] la phrase à Marion qui [sourire] à Jean-Loup.	Sourire • to smile
Ils [se saluer] tous. Bernard [prendre] la main de Paulette pour lire son destin.	Se saluer • to greet each other
Dans le bureau les trois femmes [comparer] leurs jambes et leurs toilettes. Marion [remarquer] la nouvelle inquiétante que les Allemands ont franchi la ligne de démarcation. La zone libre n'[exister] plus pour les juifs et autres réfugiés.	Remarquer • to notice Inquiétant • worrying Franchir • to cross
Lucas [réagir] mal quand sa femme [annoncer] qu'il [devoir] rester dans la cave. Il [dire] comment il [passer] son temps y compris en faisant des mots croisés racistes.	Réagir • to react Y compris • including Des mots croisés • crosswords
Il [commencer] à pleurer parce qu'il [se désespérer]. Elle [essayer] de l'empêcher d'aller se déclarer comme juif.	Pleurer • to cry Empêcher • to stop
Quand il [devenir] plus calme elle lui [donner] du cognac.	Devenir • to become
Le lendemain elle [se réveiller] tard et ne [pouvoir] pas sortir par la trappe. Bernard [décrire] un contrôle allemand à la sortie du cinéma.	La trappe • trapdoor Décrire • describe Un contrôle • a check
Le tailleur [prendre] les mesures pour le costume de Bernard.	Le tailleur • tailor
En même temps l'ami de Bernard le [chercher], l'air inquiet. Il [remettre] un paquet à Jacquot pour lui.	En même temps • at the same time Remettre • to give, pass
Quand Marion [descendre] plus tard dans la cave elle ne [trouver] pas son mari. Il lui [montrer] ce qu'il a bricolé pour pouvoir écouter les répétitions.	Bricoler • to botch up
Tandis que les acteurs [répéter] Lucas [écouter].	

Plus tard il [donner] des conseils à sa femme.	Un conseil • an advice
Raymond [arriver] tard avec des excuses que son vélo a été volé.	Voler • to steal
Jacquot [dire] tous les mots argotiques pour un Allemand.	Un mot argotiques • a slang word
Bernard [remettre] un électrophone en bois à son ami.	Un électrophone • a record player
Daxiat [attendre] Marion à l'hôtel, l'air nerveux. Il [expliquer] son rôle de critique, détesté par les gens de théatre. Il lui [montrer] un faux passeport avec le visage de Lucas dessus.	L'air nerveux • looking nervous Dessus • on it
Soudain une alerte à la bombe [retentir] dans le bâtiment. Daxiat [expliquer] que le passeport [venir] d'un passeur arrêté et que s'il [retourner] à Paris il ne fera rien contre lui. En rentrant elle [faire] l'amour avec son mari.	Une alerte • an air raid warning Retentir • to ring out Faire l'amour • to make love
Pendant la répétition elle ne [vouloir] pas que Bernard [toucher] ses cheveux.	
Marion [essayer] de vendre ses bijoux quand on l' [appeler].	
Bernard [persuader] Nadine à répéter avec lui dans sa loge.	La loge • the dressing room
Lucas [écouter] une émission très agressive sur les juifs quand Marion [descendre] parler de la dernière répétition. Il [donner] son opinion sur l'éclairage de la scène. Quand on [jouer] la scène il y [avoir] une coupure du courant.	Une émission • a programme Dernier • last, latest L'éclairage • the lighting Une coupure du courant • a power cut
Marion [découvrir] Nadine et Arlette en train de s'embrasser dans une loge.	Découvrir • to discover
Jean-Loup réconforte Arlette qui [croire] avoir perdu la confiance de Marion. Bernard [entendre] tout ce qui se [dire] et [vouloir] l'aider. Jean-Loup le [décourager].	Réconforter • to comfort Croire • to believe Tout ce qui • everything which
Jean-Loup [avertir] Bernard qu'Arlette [préférer] les femmes et qu'il [perdre] son temps à la chasser.	Avertir • to warn
Lucas [reprocher] à sa femme de vouloir emmener les acteurs à une boîte de nuit pour se détendre. Elle [protester].	Emmener • to take Une boîte de nuit • a night club Se détendre • to relax
Selon Lucas la scène d'amour entre Bernard et Marion ne [paraître] pas très sincère.	Paraître • to seem, appear
A la boîte de nuit Bernard [arriver] avec Simone. Marion [sembler] déçue.	Déçu • disappointed
En voyant tous les vêtements allemands dans les vestiaires Bernard [partir]. La chanteuse [chante] moitié en français, moitié en allemand. Marion [partir] avec un autre homme, une connaissance de Jean-Loup.	En voyant • seeing Les vestiaires • the cloakrooms Moitié • half Une connaissance • an acquaintance
Quand la bonne de Marion [arriver] le lendemain, le lit [être] inoccupé.	La bonne • the maid
Marion et l'équipe [organiser] les places pour le public pour minimiser l'effet des Allemands.	L'équipe • the team
Martine, l'amie de Raymond [entrer] dans les loges et	

[voler] beaucoup d'affaires. Marion ne [vouloir] pas appeler la police.	Voler • to steal Des affaires • things
Dans la rue on ne [voir] que des vélos - y compris un pousse-pousse. Un garçon [apporter] des fleurs pour Marion.	Apporter • to bring
Lucas [devenir] très nerveux avant le début de la pièce tandis que Marion [rester] calme et apparemment sûre d'elle. Elle [vomir] dans les toilettes avant de monter sur scène.	Apparemment • apparently Sûr • sure
On [entendre] les trois coups et la pièce [commencer]. La jeune juive [assister] à côté de plusieurs Allemands. Daxia [arriver] en retard et [déranger] tout le monde.	Les trois coups • the three bangs, sign that a play is going to start Assister • to attend Déranger • to disturb
A la fin Daxiat [se lever] pour applaudir. On [apporter] du champagne pour la réception et Marion [accueillir] les invités y compris un général allemand qui ne [comprendre] pas le français.	Accueillir • to welcome
Marion et Bernard [se féliciter] puis Bernard [accompagner] un admirateur à la porte. Il [chercher] Marion plus tard mais elle [se disputer] avec son mari en bas. Lucas [vouloir] améliorer la pièce. Elle [s'en aller]. Il [couvrir] le tuyau d'une écharpe pour ne pas entendre ce qui [se passer].	Se disputer • to row En bas • downstairs Améliorer • to improve Le tuyau • the pipe Une écharpe • a scarf Se passer • to happen
Marion et Lucas [lire] les revues; celle de Daxiat n'[être] pas bonne tandis que les autres le [être]. Daxiat [critiquer] de nouveau les juifs dans la revue.	Celui/celle • the one Tandis que • whilst De nouveau • again
La troupe [sortir] au restaurant après la réception. Bernard [monter] voir un autre groupe et [attaquer] Daxiat. Il [exiger] des excuses pour Marion. Daxiat [refuser] de se battre. Marion [se fâcher] avec Bernard et le lendemain [refuser] de le toucher.	Se battre • to fight La pluie • the rain Se fâcher • to get annoyed
Jean-Loup [ouvrir] un paquet qui [contenir] un petit cercueil avec une corde de bourreau.	Un cercueil • a coffin Une corde de bourreau • a hangman's noose
Marion [éplucher] des pommes de terre et [accuser] son mari de la détester. Il [proposer] un nouveau rôle, celui d'une personne cruelle.	Éplucher • to peel Proposer • to suggest
Jean-Loup [aller] voir Daxiat dans son bureau. Daxiat l'[accuser] d'être un porte-parole pour Lucas.	Un porte-parole • a spokesman
La vente du théatre est une ariénisation fictive - Lucas a vendu le théatre à sa femme et à cause de la nouvelle loi il n'[appartenir] à personne.	Une ariénisation fictive • pretend sale of a jewish property to an Arian so that in reality the jewish person still owns it À cause de • because of Appartenir • to belong
Marion [expliquer] la situation à Lucas : Daxiat [vouloir] partager le théatre avec Jean- Loup.	Partager • to share

Elle [aller] voir le Docteur Dietrich au kommandatur et [voir] Martine (qui a volé leurs affaires) avec un Allemand. Ils [se voir]. Dietrich n'[être] pas là mais un autre Allemand [se charger] de son cas.	Voler des affaires • to steal things Se charger de • to deal with
L'officier [avouer] que Dietrich s'est suicidé. Il [dire] à Marion qu'il l' [admire] et lui [serrer] la main très fort. Elle [se sauver].	Avouer • to confess Se sauver • to run off
Bernard [avoir] rendez-vous avec son ami dans une église mais la Gestapo l'[arrêter] et l'[embarquer].	Un rendez-vous • a meeting Embarquer • to take away
Bernard [dire] à Marion qu'il [aller] quitter le théatre mais pas pour les raisons qu'elle [croire]. Il [abandonner] le théatre pour la résistance.	
Deux policiers (Gestapo) [arriver] pendant la pièce. Ils [s'intéresser] à la cave où [se cacher] Lucas.	
Bernard et Marion [discuter] pendant les scènes et ils [descendre] dans la cave où Bernard [faire connaissance] de Lucas pour la première fois. Ils [cacher] les indices de la présence de Lucas. Les policiers [s'impatienter], puis Marion les [accompagner] dans la cave avec Raymond. Ils n'y [trouver] rien.	Les indices • the clues S'impatienter • to get impatient Ne ..rien • nothing
Lucas lui [demander] s'il [être] amoureux de sa femme. Bernard ne [répondre] pas et [voir] le tuyau par où Lucas [écouter] la pièce.	
Un nouveau Carl [apprendre] le rôle avec Marion.	Apprendre • to learn
Marion [entrer] dans la loge de Bernard qui [ranger] ses affaires. Ils [finir] par faire l'amour.	Ranger • to tidy away Finir par • to end up
On [voir] le dénouement de la guerre et après Marion [rendre] visite à Bernard qui [être] à l'hôpital. Bernard [dire] avoir oublié tout sur elle. Cela [faire] cependant partie d'une nouvelle pièce où ils [jouer] ensemble.	Le dénouement • the unravelling Rendre visite à • to visit Oublier • to forget Faire partie • to be part of
Tout le monde [applaudir] et Steiner [monter] sur scène. Marion [se mettre] au milieu entre les deux hommes.	Applaudir • to applaud Se mettre • to put oneself Le milieu • the middle

Reported Speech

Identifiez quelle bulle correspond à quel personnage dans la case à droite.

Je déclare par la présente que je ne suis pas juif. --------

Oui bien sûr, je l'ai déjà vu. --------

On t'aurait proposée un rôle dans le Juif Süss et tu aurais accepté. --------

Bien sûr je peux tenir. Il le faut. --------

Je pense que votre mari a eu tort de quitter la France. --------

J'essaie de me sentir juif. --------

Excusez-moi. Rendez-moi mes vêtements. J'ai changé d'avis. --------

Je sais que vous ne m'aimez pas. --------

Retournez donc au grand écran. --------

Je veux que vous m'aidiez à sauver le théâtre de Montmartre. --------

C'est une vie. C'est la mienne. --------

Je serais fou de te détester. --------

J'abandonne provisoirement le théâtre pour la résistance. --------

Je ne me battrai pas. --------

1. Daxiat à Jean-Loup dans son bureau

2. Lucas à Bernard après la visite de la police

3. Lucas quand il semble se désespérer

4. Joseph à Nadine quand elle arrive en retard

5. Daxiat à Marion

6. Lucas en mettant un faux nez

7. Bernard signe son contrat déclarant qu'il n'est pas juif

8. Bernard au concierge à la boîte de nuit

9. Lucas à sa femme quand il perd confiance

10. Bernard à Marion vers la fin du film

11. Daxiat à Bernard devant la boîte de nuit

12. L'article de Daxiat au sujet de Marion

13. Arlette au sujet de Bernard

Using the exact words from the script of the film complete using reported speech the sentences in the rectangles.

Exemple:

Je déclare par la présente que je ne suis pas juif.

En signant le contrat Bernard déclare qu'il n'est pas juif.

Oui bien sûr, je l'ai déjà vu.

Arlette dit qu'_ _

On t'aurait proposée un rôle dans le Juif Süss et tu aurais accepté.

Joseph dit à Nadine que si on _ _ _ _ _ _ _ _ _ _ _ _ _ _ _ _ _ _

Bien sûr je peux tenir. Il le faut.

Lucas dit qu' _

Je pense que votre mari a eu tort de quitter la France.

Dixiat dit à Marion que _

J'essaie de me sentir juif.

En mettant un faux nez, Lucas dit qu'_ _ _ _ _ _ _ _ _ _ _ _ _ _

Je sais que vous ne m'aimez pas.

Daxiat dit à Marion qu' _

Bernard dit au concierge de ___________________
____

Excusez-moi. Rendez-moi mes vêtements. J'ai changé d'avis.

Retournez donc au grand écran.

L'article de Daxiat suggère que Marion ___________
____

Devant la boîte Daxiat dit à Bernard qu' ___________
____

Je ne me battrai pas.

Je serais fou de te détester.

Lucas dit à sa femme qu' ____________________
____

Daxiat dit à Jean-Loup qu'il _________________
____

Je veux que vous m'aidiez à sauver le théâtre de Montmartre.

J'abandonne provisoirement le théâtre pour la résistance.

Bernard dit à Marion qu' ____________________
____

Dans la cave après la visite de la police Lucas dit à Bernard que ___________________________________

C'est une vie. C'est la mienne.

Adjectifs qui décrivent le caractère

Traduisez les adjectifs en anglais et puis trouvez l'antonyme

Affectueux/euse		
Artistique		
Capable		
Courageux/euse		
Créatif/ive		
Déprimé/e		
Désespéré/e		
Discret/ète		
Doué/e		
Effronté/e		
Engagé/e		
Enthousiaste		
Exigeant/e		
Flirteur/euse		
Idéaliste		
Impatient/e		
Impulsif/ive		
Intellectuel/le		
Jaloux/ouse		
Obsédé/e		
Passionné/e		
Patriotique		
Perfectionniste		
Pessimiste		
Peureux/euse		
Professionnel/le		
Réaliste		
Résigné/e		
Romantique		
Sérieux/ieuse		

Comment parler du caractère de quelqu'un - Traduisez les phrases en anglais

On découvre/se rend compte/apprend/voit que Steiner est déprimé quand il dit à sa femme qu'il va se présenter au commissariat.	
Bernard révèle/nous fait voir/montre qu'il est très patriotique en refusant d'accueillir Daxiat quand il vient au théâtre.	
Au début du film on a l'impression que Bernard est une personne très égoïste ; pourtant alors que le film progresse on voit que c'est un homme de principe qui déteste la collaboration.	
La manière dont Bernard attaque Daxiat dans la rue devant le restaurant nous révèle qu'il est vraiment impulsif.	
Quand/Lorsque Steiner demande à Bernard s'il aime sa femme il est évident qu'il est jaloux de l'homme plus jeune.	
D'une part Steiner paraît très intellectuel, d'autre part il a un côté très sensuel et physique.	
Bien qu'il soit impatient de sortir de sa prison dans la cave du théâtre, Steiner se rend compte qu'il doit y rester jusqu'à la fin de la guerre.	

Faites vos propres exemples de phrases parlant des traits de caractère de Bernard et de Marion

Qu'est-ce que ces observations nous apprennent du caractère des protagonistes ?

Bernard poursuit Arlette dans la rue et essaie de la draguer.	
Bernard passe beaucoup de temps à faire des choses qui paraissent soupçonneuses.	
Steiner n'aime pas quand sa femme ne peut pas passer la nuit dans l'appartement avec lui.	
Steiner tient à écouter les représentations de la pièce par un tuyau pour qu'il puisse donner son opinion.	
Bernard veut consoler Arlette quand elle est désolée après que Marion l'a trouvée avec Nadine.	
Bernard dit à Marion qu'il va devenir résistant.	

Traduisez ces phrases en français

At the start of the film Bernard seems very flirtatious. As the film progresses we realize that he has a more serious side to him.	
Although Steiner is very intellectual it is obvious that he cannot spend all his time reading in the cellar.	
Steiner is very professional wanting to improve the play after the first performance.	
When Bernard attacks Daxiat Marion is angry because the critic has the power to close the theatre.	

the Tensinator

Translate the sentences for each tense into English. Make sure you understand how the tense is made up, then create your own examples using a range of regular and irregular verbs.

Pluperfect

Parce que Marion avait refusé de laisser son mari partir, il a dû rester dans la cave du théatre.

Steiner avait déjà attendu longtemps dans la cave quand il a appris qu'il devait y rester.

Perfect

Bernard a refusé de laisser Daxiat tranquille au restaurant.

Marion a attendu le jour du départ de Bernard avant de faire l'amour avec lui.

Imperfect

Bernard refusait d'être poli envers Daxiat quand il le voyait.

Bernard et son ami attendaient dans l'église à côté quand ce dernier a été arrêté par la Gestapo.

Present

Bernard refuse d'essayer de s'entendre avec un collaborateur.
Steiner attend impatiemment la défaite allemande.

Future

Je refuserai de faire semblant d'être poli!

J'attendrai ici aussi longtemps qu'il le faudra pourvu que tu viennes me voir.

Conditional

Si un juif venait au guichet du théâtre je ne lui refuserais pas un billet d'entrée.
S'il pouvait écouter les répétitions il attendrait avec plus de patience.

Conditional Perfect

Si un Allemand m'avait invitée à sortir avec lui, j'aurais refusé.
Si Bernard avait su que Marion avait des sentiments pour lui, il l'aurait peut-être embrassée plus tôt.

The « A » Factor

What is the A factor ?

To have the A factor you need to be able to show off your talents on the oral and essay stage with a range of grammar and constructions which will knock the judges', er markers' socks off. The good news is that a lot of the language you can use is really quite straight forward. Practise this language in context and you're winning through to the next round-no problem.

Present participle en ....ant

If you are telling part of the story to illustrate a point it is good practice to use the present participle to vary the style of your speech or writing. In the first example it means "on arriving". In the second example it means "by flattering her".

> The present participle is made from the nous part of the present tense, minus the -ons ending with an -ant added. There are of course irregulars but not too many (être- étant / savoir - sachant).

1. Bernard arrive au théâtre. Il essaye d'y draguer une femme.

En arrivant au théâtre Bernard essaye de draguer une femme.

2. Bernard essaye de draguer une femme devant le théâtre. Il la flatte.

Bernard essaye de draguer une femme devant le théâtre en la flattant.

1. Bernard attend Madame Steiner. Il l'entend refuser d'embaucher un acteur juif.

En ....

2. Lorsqu'elle voit qu'un Allemand frotter les cheveux de son fils, la mère lui lave les cheveux.

En ....

3. Quand ils sortent du cinéma ils voient Daxiat qui les attend.

En ....

4. Marion réussit à nourrir son mari. Elle achète de la nourriture supplémentaire au marché noir

Marion réussit à nourrir son mari en ....

5. Lucas a l'intention d'échapper aux Allemands. Il va passer dans la zone libre.

Lucas a l'intention d'échapper aux Allemands en...

6. Marion est bouleversée quand elle apprend la nouvelle que la zone libre n'existe plus dès novembre 1942.

Marion est bouleversée en ....

Passive voice

How is the passive made? Simple! The appropriate part of the verb être is used in whatever tense and the active verb is put into the past participle with agreement for gender (e) and/or plural (s). See the PowerPoint.

See the PowerPoint for more information on the passive

Convert the following events in the film into the passive

1. Les Allemands censurent toutes les pièces de théâtre.

Toutes les pieces de théâtres ....

And try it in the perfect with censurer

Toutes les pieces de théâtres ont été ....

2. Les Français ainsi que les Allemands persécutent les juifs.

Les juifs ....

Perfect

Les juifs ont été ....

3. On cultive toutes sortes de légumes en ville pour se nourrir.

Toutes sortes de légumes ....

4. Les autorités reçoivent d'énormes quantités de lettres de dénonciation tous les jours.

D'énormes quantités de lettres ....

5. Radio Paris qui est collaborationiste diffusait beaucoup de propagande anti-sémite.

Beaucoup de propagande anti-sémite ....

6. Les gens du théâtre accueillent chaleureusement la petite juive Rosette.

La petite juive Rosette ....

7. Jean-Loup avertit Bernard qu'Arlette préfère les femmes.

Bernard ....

8. Daxiat dérange tout le monde quand il arrive pour la représentation.

Tout le monde ....

9. On a informé Marion que le Docteur Dietrich s'est suicidé.

Marion ....

Subjunctive

Using the subjunctive in all its various subtleties can take years of study and gradual understanding of its finer points. However, all students can manage some of the more common usages, although you should beware of "getting it in" just for the sake of it. **See PowerPoint for more information.**

Two of the more common usages of the subjunctive mood are following

Il faut que and **Vouloir que**

To form the subjunctive is not difficult. Take the third person plural (ils) of the present tense. Remove the ending and add Je -e Tu -es il/elle/on -e, nous -ions vous -iez ils/elles -ent

Unfortunately this means that when you use the subjunctive of some verbs you can actually tell the difference in the case of er verbs for instance.

Il faut que tu manges - You have to eat

Je veux qu'ils réparent la voiture I want them to repair the car

In regular -re verbs you can tell it's being used:

Je veux que tu attendes - I want you to wait

The more common irregular verbs have quite different forms from which the subjunctive is built

Être - je sois, tu sois, il/elle/on soit, nous soyons, vous soyez, ils/elles soient

Faire - je fasse, tu fasses, il/elle/on fasse, nous fassions, vous fassiez, ils/elles fassent

Vouloir que - to want someone to do something (change of subject)

1. Jean- Loup veut que Marion (être) aimable avec Daxiat qui est responsable de la censure.

2. Bernard ne veut pas que Nadine (faire) connaissance avec Daxiat.

3. Marion et les autres veulent que Rosette, la jeune juive, (venir) voir la pièce mais c'est dangereux pour elle.

4. Marion ne veut pas que les autres (savoir) que son mari se cache dans la cave du théâtre.

Il faut que - it is necessary (for something to happen)

5. Il faut que toutes les pièces (être) censurées.

6. Il faut que tous les théâtres qui restent ouverts (faire) un effort pour plaire à Daxiat qui a le pouvoir de les fermer.

7. Il faut que tous ceux qui veulent passer en zone libre (avoir) de l'argent pour payer un passeur.

8. Il faut que les membres de la Résistance comme l'ami de Bernard (être) très prudents.

And one for good luck **pour que** - in order that/ so that

9. Marion refuse d'embaucher un acteur juif pour qu'elle ne (être) pas poursuivie par les autorités.

10. Rosette couvre son étoile de David d'une écharpe pour qu'elle (être) moins visible.

11. Après la mauvais revue de la pièce et les insultes aux juifs Bernard veut que Daxiat (se battre) avec lui.

12. Marion ne veut pas que Bernard (partir) parce qu'elle est amoureuse de lui.

Essay Plan

Essay **title**: Write this down and underline the key words and phrases. Keep referring to it.
Analysez les sentiments anti-sémitiques du film.

Point A
- Daxiat - le visage de la collaboration - typique des journalistes collaborationistes.
- Veut éliminer toute trace de « juiverie » du théâtre selon la propagande - juifs trop d'influence dans les médias.
- Bernard signe contrat disant qu'il n'est pas juif.

Point B
- Steiner torturé par l'anti-sémitisme.
- Met un grand nez faux et se demande ce qu'est un juif. Essaie de se sentir juifs.
- Il existe une formule pour décider si quelqu'un est juif ou non (nombre de grand-parents).
- Mesures du nez, etc.

Point C
- Marion évoque le nombre de dénonciations quotidiennes.
- Certains Français dénoncent pour régler des comptes ou pour sauver leur propre peau.
- Habilleuse montre des photos de sa famille à Daxiat - veut démontrer que la famille n'est pas juive.

Ideas to contextualise question for the **introduction**. Saying what you are going to say. *Vie dure pour juifs en France - ne peuvent plus s'échapper en zone libre après novembre 1942 - piège pour les juifs - attitude des Français varie - certains sympathiques, d'autres cyniques, lois draconiennes.*

Ideas for **conclusion.** Summing up of your opinions as expressed in the body of the essay with no new points. *On est choqué par les sentiments anti-sémites - sur le plan personnel très nuancé - certains profitent des lois anti-juives - d'autres traitent avec les juifs comme avant.*

Point D
- La propagande anti-juive très agressive - Daxiat a la parole à cause de ses opinions extrêmes.
- Au cinéma - propagande anti-sémite. Juif Süss - film qui présente les juifs d'une manière très abusive.
- Français considèrent ce film très raciste - accusent Nadine d'être suffisamment cynique pour y accepter un rôle.
- Début du film- Jean-Loup refuse d'embaucher un acteur juif.

Point E
- Jeune juive, vendeuse de tissu porte l'étoile jaune (nouvelle loi en 1941 qui oblige les juifs à s'identifier publiquement).
- Refuse de rester à la maison, couvre l'étoile de son écharpe.
- On la voit à la pièce entre des Allemands.
- Les gens du théâtre continuent à utiliser ses services (père n'ose pas sortir à cause de son accent).

Point F
- Les lois françaises perverties pour permettre aux collaborateurs/Allemands d'accéder aux biens des juifs.
- Daxiat décrit la vente du théâtre de Steiner à sa femme comme ariénisation fictive.

Keep your points separate, adding to them as new ideas come into your head. Only use brief note form to help you remember. For a 400 word essay you may well only want half a dozen points, each well illustrated with examples.

Use arrows between the points to show interrelationships - which points are logically connected. You can then organize the paragraphs in the same order. Use arrow from the Draw menu (shapes)

Introduction - Set the context of the essay, referring explicity to the title.
Say what you are going to say clearly. The content you use may refer to other works by the cineaste, to the historical period, the social setting - whatever seems to flow naturally into what you are going to write/have written.

Paragraphe 1 - First sentence should set the scene for the paragraph providing analysis of how it answers the question.
Following sentences should be consistent with the first sentence and offer illustration of the point made.

Paragraphe 2 - First sentence should lead on logically from previous paragraph saying whether it adds to the previous set of ideas or maybe contradicts them.

Paragraphe 3

Tip
Write on alternate lines then it is easier to edit your work in the exam.

Paragraphe 4 ++

Conclusion - It should summarise your findings, not adding new ideas but pulling together your analysis of the question.

Ideas should go from the less important finishing off with the most important in the final paragraph.